Raiponce

D'après Jacob et Wilhelm Grimm
Illustré par Nancy Peña

Tourbillon

Il était une fois un mari et sa femme qui se désespéraient de ne pas avoir d'enfant. Jusqu'au jour où, enfin, leur vœu fut exaucé.

Depuis qu'elle était enceinte, la femme prenait beaucoup de plaisir à contempler, à sa fenêtre, un grand jardin situé derrière leur maison. Ce bel endroit verdoyant, entouré d'un haut mur de pierre, appartenait en fait à une affreuse sorcière dotée de grands pouvoirs. Or, un jour, alors qu'elle admirait les plantes de ce jardin, la future mère aperçut un parterre de raiponces aux feuilles fort appétissantes. Oh ! comme elles avaient l'air fraîches !

Elle en eut soudain l'eau à la bouche et ressentit le besoin impérieux de s'en faire une bonne salade. Cette envie se mit à grandir à mesure que les jours passaient. La femmedevint triste et pâle. Son mari, la voyant ainsi dépérir, s'inquiéta :

– Mais que t'arrive-t-il donc, ma chère femme ?

– C'est à cause des magnifiques raiponces qui poussent dans le jardin de notre voisine la sorcière, lui confia-t-elle en l'amenant devant la petite fenêtre. J'ai tellement envie d'en déguster quelques feuilles ! J'en rêve même la nuit !

Le mari fut surpris par ce drôle de caprice. Mais il se dit qu'après tout, la santé de sa femme bien-aimée valait la peine qu'il prenne le risque d'aller lui en cueillir. Le soir venu, il escalada le haut mur de pierre, arracha deux poignées de raiponces et revint, aussi vite qu'il

put, offrir son butin à son épouse. Celle-ci s'empressa de préparer la salade tant espérée et la savoura avec délice. Cependant, le mets lui avait paru si bon que, le lendemain, son désir d'en manger encore fut trois fois plus grand. La nuit tombée, le mari, courageux, franchit de nouveau le mur et… tomba nez à nez avec la sorcière, sa sinistre voisine :

–Comment oses-tu pénétrer dans mon jardin ?! rugit-elle. Comment as-tu osé toucher à mes raiponces ?! Voleur ! Ton audace va te coûter cher !

–C'est que… c'est que ma femme… ma femme attend un enfant, balbutia le pauvre homme. En voyant vos raiponces par notre petite fenêtre, elle a tant souhaité les goûter que je les ai cueillies pour elle, tenta-t-il de lui expliquer. Sinon, elle serait morte !

À ce récit, la sorcière parut s'adoucir.

– Soit ! dit-elle. Dans ce cas, je te permets de prendre autant de raiponces que tu voudras. Mais à une condition : tu me donneras l'enfant qui va naître. Je serai sa marraine et j'en prendrai soin comme une mère.

Le mari, trop effrayé, donna son accord, sans réaliser ce qu'il faisait. Et, plus tard, alors que sa femme venait tout juste de mettre au monde leur petite fille, la sorcière arriva chez eux, prit le nouveau-né et partit.

Raiponce, car c'est ainsi que la sorcière, sa marraine, la nomma, était la plus jolie des fillettes. Lorsqu'elle eut douze ans, la cruelle femme l'enferma dans une haute tour, au cœur de la forêt. Par magie, la sorcière avait conçu l'édifice sans porte ni escalier ; la seule ouverture, une minuscule fenêtre, se trouvait à son sommet. De cette manière, elle seule pouvait rendre visite à la prisonnière.

Quand elle arrivait au pied de la tour, la vieille femme appelait :

– Raiponce, Raiponce, déroule ta natte blonde.

La jeune fille avait une belle chevelure dorée qu'elle coiffait en une très longue tresse. Quand elle entendait la sorcière, elle se penchait par la fenêtre et laissait descendre ses cheveux soyeux jusqu'au sol.

Ainsi, sa marraine parvenait jusqu'à elle.

Quelques années plus tard, alors que le fils d'un roi chevauchait dans cette même forêt, une douce mélodie qui semblait venir de la cime des arbres lui parvint. C'était Raiponce qui se distrayait en fredonnant des airs de son invention.

Le prince trouva ce chant adorable et il descendit de cheval pour l'écouter plus à son aise.

En s'enfonçant dans les bois pour se rapprocher de la voix, le fils du roi découvrit l'étrange édifice. Il en fit le tour sans découvrir la moindre ouverture. Intrigué, il finit par rentrer chez lui. Cependant, cette voix cristalline l'avait tant bouleversé qu'il retourna sur les lieux dès le lendemain. Lorsqu'il fut près de la tour, il entendit soudain du bruit et se cacha derrière un arbre : une affreuse vieille femme était là.

Soudain, elle leva la tête et lança d'une voix forte :

– Raiponce, Raiponce, déroule ta natte blonde.

Le prince vit alors apparaître, à la fenêtre, la plus charmante des jeunes filles. Raiponce déroula sa longue tresse pour permettre à la sorcière de la rejoindre. Stupéfait, le fils du roi pensa que c'était là un moyen bien surprenant de monter. Mais il se dit aussi qu'il agirait volontiers de la même façon pour grimper jusqu'à la belle demoiselle.

Le prince attendit patiemment le départ de la sorcière et, dès que la nuit tomba, il s'avança au pied de la tour et appela :

– Raiponce, Raiponce, déroule ta natte blonde.

Un instant plus tard, il saisissait la tresse douce et parfumée entre ses doigts. Troublé, il monta prestement. Lorsqu'il enjamba la fenêtre, Raiponce fut épouvantée de voir un homme entrer dans sa prison.

Mais le fils du roi lui raconta combien son cœur avait chaviré quand il avait entendu sa voix. Rassurée et séduite, la jeune fille lui sourit.

Sans plus attendre, le prince amoureux lui demanda de l'épouser. Raiponce sentit que le jeune homme l'aimait profondément et son regard était si tendre ! Conquise, elle posa sa main dans la sienne et elle accepta. Le prince voulut l'emmener sur-le-champ : mais comment sortir d'ici ?

Heureusement, la prisonnière eut une idée :

– Chaque fois que vous viendrez me voir, apportez-moi du fil de soie. J'en ferai une échelle. De cette façon, je pourrai descendre, et vous m'emmènerez avec vous.

Ainsi, la sorcière rejoignait Raiponce le jour, et le prince devait attendre la nuit pour escalader la haute tour et retrouver sa belle.

La vieille magicienne ignorait tout de ces visites nocturnes… jusqu'au jour où Raiponce, sans faire attention, lui demanda :

– Comment se fait-il, marraine, que vous ayez tant de mal à monter, alors que le fils du roi, lui, semble parvenir ici avec tant de légèreté ?

– Ah, traîtresse ! Que dis-tu ? s'exclama la sorcière, hors d'elle. Je croyais t'avoir mise à l'écart du monde entier, et tu es parvenue à me tromper !

Furieuse, elle attrapa des ciseaux et coupa net la merveilleuse tresse de Raiponce. Puis elle lui jeta un sort, et la jeune fille atterrit à mille lieux de là, dans un endroit désertique.

Le soir venu, l'affreuse vieille femme fixa la tresse de Raiponce au crochet de la fenêtre et guetta l'arrivée du prince.

Quand elle l'entendit appeler : « Raiponce, Raiponce… », elle fit descendre la longue chevelure.

Sans se méfier, le prince grimpa lestement jusqu'à la petite fenêtre. Là-haut, il trouva la méchante sorcière qui l'attendait. Elle lui jeta un regard courroucé :

– Tu viens chercher ta bien-aimée ? ricana-t-elle. Mais l'oiseau s'est envolé ! « Pffuitt » ! Il a quitté le nid ! Le chat l'a emporté, et tu ne le reverras jamais plus ! Quant à toi, je vais te crever les yeux ! hurla-t-elle.

Mais, fou de désespoir, le prince avait déjà sauté dans le vide. Il se serait tué s'il n'avait atterri dans un tas d'épines. Hélas ! ce même buisson qui lui sauva la vie le blessa au point qu'il en perdit la vue.

Désormais, ses yeux ne lui serviraient plus qu'à pleurer, au souvenir de sa bien-aimée. Aveugle, il se mit à errer dans la forêt, se nourrissant de baies et de racines.

Après quelques années, il parvint aux limites d'un désert. Soudain, il s'arrêta et tendit l'oreille : il percevait un chant d'une grande tristesse. Cette voix ! C'était celle de sa belle ! Le fils du roi s'avança, bouleversé.

Dès que Raiponce aperçut l'homme en haillons, elle se jeta dans ses bras en pleurant de joie : elle avait immédiatement reconnu son prince.

Deux larmes coulèrent sur les yeux clos du jeune homme qui, aussitôt, put voir sa bien-aimée de nouveau : elle l'avait guéri !

Le prince emmena sa fiancée dans son royaume, pour la plus grande joie de sa famille.

Après les épreuves qui les avaient tenus si longtemps séparés, ils se marièrent et vécurent heureux pendant de longues, longues années.